# 4 주완성
# 왕초보
# 히브리어
# 성경읽기



허동보 저

2nd Week

수현북스

왕초보 원어성경읽기 홈페이지에서 저자 정보와 강의 정보를 참고하세요.

https://wcb.modoo.at

**4주완성 왕초보 히브리어 성경읽기 – 2주차 히브리어 모음**

**발　　행** | 2024년 7월 25일
**저　　자** | 허동보
**기　　획** | 수현교회 출판부
**편집 · 디자인** | 허동보

**발 행 인** | 허동보
**발 행 처** | 수현북스
**등록번호** | 2024.06.28 (제2024-000094호)
**주　　소** | 경기도 용인시 기흥구 공세로 150-29, B01-G444호

ISBN | 979-11-988320-3-0
**가 격** | 8,000원



* 본 도서는 허동보 목사의 '왕초보 히브리어 성경읽기' 강좌 교재로
  이 책에 삽입된 성경구절은 개역한글과 Westminster Leningrad Codex를 사용하였습니다.
* 이 책에는 상업용 무료글꼴만이 사용되었으며, 사용된 글꼴은 다음과 같습니다.
- 한국어/영어: KoPup바탕체, KoPup돋움체, 세방고딕체
- 히브리어: Frank Ruhl Libre, Bellefair, Noto Sans Hebrew

# 목 차

# 제 1 장 히브리어 모음 vowel

## 1. 히브리어 모음표

| | A 아 | E 에 | I 이 | O 오 | U 우 |
|---|---|---|---|---|---|
| 장모음 | אָ | אֵ | | אֹ | |
| | 카메츠 | 체레 | | 홀렘 | |
| | | אֵי | אִי | אוֹ | אוּ |
| | | 체레요드 | 히렉요드 | 홀렘바브 | 슈렉 |
| 반모음 | אֲ | אֱ | | אֳ | |
| | 하텝파타 | 하텝세골 | | 하텝카메츠 | |
| 단모음 | אַ | אֶ | אִ | אָ | אֻ |
| | 파타 | 세골 | 히렉 | 카메츠하툽 | 케부츠 |
| | | אְ | | | |
| | | 쉐바 | | | |
| י 가 자음으로 쓰일 때 (이중모음) | יָ יַ | יֵ יֶ יְ | יִ | יֹ יוֹ | יוּ יֻ |
| | 야 | 예 | 이 | 요 | 유 |

모음표를 지금 당장 외우려고 하지 마세요. 언어는 외우는 것이 아닙니다. 자연스럽게 몸에 젖어 들어야 합니다. 지금은 전체적인 히브리어 모음의 윤곽이 이렇다는 정도만 알고 지나가시면 됩니다. 어차피 일주일동안 열심히 과제를 하다 보면 외우려고 하지 않아도 외워지게 되어 있습니다.

## 2. 히브리어 모음

히브리어 모음 vowel 은 단순합니다. 아, 에, 이, 오, 우 발음밖에 없습니다. 단순하지만, 이 발음들은 길이에 따라 '장모음', '단모음', '반모음' 등으로 나누어집니다. 장모음은 말 그대로 길게 소리를 내는 모음입니다. 단모음은 짧게 소리를 내는 모음입니다. 현대에는 장 · 단모음, 그리고 반모음을 크게 구분하여 사용하지는 않는다고 합니다. 우리 목적은 히브리어 성경을 읽는 것이기 때문에 어느 정도 감각만 익히고 지나갈 것입니다. 단, 주의할 것이 몇 가지 있습니다.

첫째로 ָ 카메츠와 ָ 카메츠하툽은 모양이 같지만, 발음은 다릅니다. ָ 카메츠는 '아' 발음이고, ָ 카메츠하툽은 '오'발음입니다. 문법적으로 설명하자면, '강세 없는 폐음절'과 '합성쉐바' 즉, ֳ 하텝카메츠 앞에서는 '오' 발음이 됩니다. 문법적인 설명을 그냥 외우려고 하면 무척 어렵습니다. 단어와 문장 속에서 읽어내려가면서 자연스럽게 익히면 되니 너무 조급하게 생각하지 않으셨으면 합니다.

둘째로 ה, ו, י, 이 세 글자는 '모음문자'라고도 합니다. 이 중 ה헤는 단어의 마지막 글자로 사용되면 발음하지 않습니다. 가령 אִשָּׁה이샤는 '이샤흐'가 아니라 '이샤'라고 발음합니다. 만약 단어의 끝에 י요드가 있으면 '이'로 발음하여 읽어도 됩니다. 예를 들어, אֱלֹהַי나의 하나님은 '엘로하이'라고 읽으면 됩니다. 그러나 만약 단어의 끝에 יו가 있으면 י요드를 제외하고 발음합니다. אֱלֹהָיו그의 하나님은 '엘로하브'라고 읽습니다. 이 역시 절대적 기준이 아니므로 굳이 외울 필요는 없습니다. 이런 문법적 체계는 단어와 문장을 공부하면서 자연스럽게 익히실 수 있습니다.

셋째로 ח헤트가 단어 끝에서 '아' 발음의 단모음인 -ַ파타와 함께 오면, -ַ파타를 먼저 발음합니다. 대표적인 예로 '성령', '바람', '호흡' 등의 뜻을 가진 רוּחַ루아흐라는 단어는 '루하'가 아니라 '루아흐'로 읽습니다. 이런 불규칙적인 발음의 단어들은 그리 많지 않습니다. 이 역시 지금 당장 외우려고 하지 마시고, 히브리어 성경을 읽어나가며 자연스럽게 익히시면 됩니다.

아직 히브리어 알파벳이나 모음기호도 익숙하지 않은 상태에서 이런 규칙을 외우려고 하면 골치 아파서 히브리어에 질리게 됩니다. 아직 모음을 배워야 되는 단계이니만큼 모음기호가 어떤 발음인지를 먼저 익혀야 합니다. 이 역시 우리가 지난 책에서 알파벳을 익히기 위해 매일 연습했던 것처럼 하루하루 훈련해 나가시면 그리 어렵지 않다는 것을 알게 됩니다.

다만, ְ쉐바 발음만 조금 주의가 필요합니다. ְ쉐바는 '에' 발음일 때도 있지만, 묵음이 되는 경우도 있기 때문입니다. 이 쉐바에 관해서는 뒤에 따로 더 설명해 드리도록 하겠습니다.

## 3. 이중모음

이중모음 역시 어려울 것은 없습니다. י요드가 붙어 있는 모음일 뿐입니다. י요드는 마치 영어의 'Y'와 같은 기능을 한다고 생각하면 됩니다. 한국어로는 '이' 발음이라고 생각하셔도 됩니다. 'yard'라는 단어를 '이아드'라고 읽진 않습니다. 자연스럽게 '야드'라고 읽습니다. '이아드'를 빨리 읽다 보면, 자연스럽게 '야드'라고 되는 것과 같다고 보시면 됩니다. 'yellow' 역시 마찬가지입니다. '이엘로우'라고 읽기보다는 '옐로우'라고 자연스럽게 읽으면 됩니다.

즉, 히브리어에서는 י요드가 '이'라는 모음의 성격을 가진 자음으로 사용되기 때문에 아래에 붙은 모음과 함께 이중모음이라고 부릅니다. י요드와 모음이 합쳐져서 만들어지는 이중모음이지만, 모든 모음이 사용되지는 않습니다. 그러나 어떤 모음이 사용되고, 어떤 모음이 사용되지 않는지를 꼭 외워야 될 필요는 없습니다. 우리는 작문을 하고자 하는 것이 아니라, 단지 성경을 읽기 위해 히브리어를 배우고 있기에 이중모음을 잘못 사용하거나 틀릴 일은 없습니다. 단일 모음의 발음만 잘 익힌다면, 이중모음은 거저 배울 수 있습니다.

## 4. ְ 쉐바에 관하여

컴퓨터 키보드 자판에 있는 키 중에 :콜론이라고 부르는 기호가 있습니다. 마치 이 '콜론'처럼 생긴 히브리어 모음을 '쉐바'라고 부릅니다. 이는 히브리어 모음 중에 가장 중요한 글자라 할 수 있습니다. 앞서 모음표에서 이 쉐바는 '에' 발음으로 배웠습니다마는 묵음으로 사용되기도 합니다. 사실 '에' 발음보다 묵음으로 사용되는 일이 더 많다고 할 수 있습니다. 쉐바가 '에'발음으로 읽어지는 경우 '유성쉐바'라고 하며, 묵음이 될 경우 '무성쉐바'라고 합니다.

쉐바가 단어 처음에 오는 경우, 대부분 '에'로 발음되는 '유성쉐바'입니다. 특히 전치사 בְּ베, כְּ케, לְ레는 무조건 유성쉐바입니다. 즉, '에'로 발음합니다. 간혹 쉐바가 연속으로 나오는 경우도 있습니다. 이런 경우에는 앞의 쉐바는 무성, 뒷 쉐바는 유성이 됩니다. 가령 사무엘하 12 장 31 절을 보면, וּבְמַגְזְרֹת라는 단어가 나옵니다. 이 단어는 오른쪽에서부터 왼쪽으로 '우베마그제로트'라고 읽습니다. 아직 모음도 안 익힌 상태이니 이해가 안 된다고 해서 조급하게 생각하진 않으시길 바랍니다. 어차피 여러분은 한 달 뒤에 히브리어를 읽을 수 있게 되어 있으니까요. 단지, 열심히 따라오시다 보면, "아~ 이게 이래서 이렇게 읽는거구나."라며 지금 이야기들이 이해가 될 겁니다.

## 제 2 장 히브리어 모음 vowel 과 알파벳 전체 따라쓰기

모음기호를 쓸 때도 입과 눈과 귀가 사랑의 연합을 이루어야 합니다. 모음기호의 발음을 꼭 입으로 따라하면서 써야 합니다. 모음 역시 오른쪽에서 왼쪽으로 읽으면서 씁니다.

### 주의사항

1. '아--'는 장모음, '아-'는 반모음, '아'는 단모음을 나타냅니다. 장모음은 1초 정도 발음해 주면 되고, 반모음은 0.5초 정도, 그리고 단모음은 짧게 끊어서 읽으면 됩니다. 현대 히브리어에서는 장/단이 크게 중요하지 않지만, 이런 연습만으로 충분히 구분하실 수 있게 됩니다.

2. 모음기호만 따라 쓰셔도 됩니다. 가장 중요한 것은 입으로 크게 따라 읽으면서 쓰는 겁니다!

4 주완성 왕초보 히브리어 성경읽기
2 주차
1st Day
첫째날

SUHYUN
BOOKS
수현북스

· 오른쪽 끝에서부터 왼쪽 방향으로 적어 나가세요. 요드나 바브는 알파벳 자음이기도 합니다. 모음 기호를 그리기 전에 요드나 바브를 먼저 적어줍니다.

· 모음기호는 왼쪽, 그리고 상단에서부터 그려줍니다.

| אְ | אֶ | אֱ | אֵי | אֵ | אַ | אֲ | אָ |
|---|---|---|---|---|---|---|---|
| 에(으) | 에- | 에- | 에-- | 에-- | 아 | 아- | 아-- |
| אֻ | אוּ | אָ | אֳ | אוֹ | אֹ | אִ | אִי |
| 우 | 우-- | 오 | 오- | 오-- | 오-- | 이 | 이-- |
| אְ | אֶ | אֱ | אֵי | אֵ | אַ | אֲ | אָ |
| 에(으) | 에- | 에- | 에-- | 에-- | 아 | 아- | 아-- |
| אֻ | אוּ | אָ | אֳ | אוֹ | אֹ | אִ | אִי |
| 우 | 우-- | 오 | 오- | 오-- | 오-- | 이 | 이-- |
| אְ | אֶ | אֱ | אֵי | אֵ | אַ | אֲ | אָ |
| 에(으) | 에- | 에- | 에-- | 에-- | 아 | 아- | 아-- |
| אֻ | אוּ | אָ | אֳ | אוֹ | אֹ | אִ | אִי |
| 우 | 우-- | 오 | 오- | 오-- | 오-- | 이 | 이-- |
| | | | | | | | |
| 에(으) | 에- | 에- | 에-- | 에-- | 아 | 아- | 아-- |
| | | | | | | | |
| 우 | 우-- | 오 | 오- | 오-- | 오-- | 이 | 이-- |

| בְ | בֶ | בֱ | בֵי | בֵ | בַ | בֲ | בָ |
|---|---|---|---|---|---|---|---|
| 베(브) | 베- | 베- | 베-- | 베-- | 바 | 바- | 바-- |
| בֻ | בוּ | בָ | בֳ | בוֹ | בֹ | בִ | בִי |
| 부 | 부-- | 보 | 보- | 보-- | 보-- | 비 | 비-- |
| בְ | בֶ | בֱ | בֵי | בֵ | בַ | בֲ | בָ |
| 베(브) | 베- | 베- | 베-- | 베-- | 바 | 바- | 바-- |
| בֻ | בוּ | בָ | בֳ | בוֹ | בֹ | בִ | בִי |
| 부 | 부-- | 보 | 보- | 보-- | 보-- | 비 | 비-- |
| בְ | בֶ | בֱ | בֵי | בֵ | בַ | בֲ | בָ |
| 베(브) | 베- | 베- | 베-- | 베-- | 바 | 바- | 바-- |
| בֻ | בוּ | בָ | בֳ | בוֹ | בֹ | בִ | בִי |
| 부 | 부-- | 보 | 보- | 보-- | 보-- | 비 | 비-- |
| | | | | | | | |
| 베(브) | 베- | 베- | 베-- | 베-- | 바 | 바- | 바-- |
| | | | | | | | |
| 부 | 부-- | 보 | 보- | 보-- | 보-- | 비 | 비-- |
| | | | | | | | |
| 베(브) | 베- | 베- | 베-- | 베-- | 바 | 바- | 바-- |
| | | | | | | | |
| 부 | 부-- | 보 | 보- | 보-- | 보-- | 비 | 비-- |

| גְ | גֶ | גֱ | גֵי | גֵ | גַ | גֲ | גָ |
|---|---|---|---|---|---|---|---|
| 게(그) | 게- | 게- | 게-- | 게-- | 가 | 가- | 가-- |
| גֻ | גוּ | גָ | גֳ | גוֹ | גֹ | גִ | גִי |
| 구 | 구-- | 고 | 고- | 고-- | 고-- | 기 | 기-- |
| גְ | גֶ | גֱ | גֵי | גֵ | גַ | גֲ | גָ |
| 게(그) | 게- | 게- | 게-- | 게-- | 가 | 가- | 가-- |
| גֻ | גוּ | גָ | גֳ | גוֹ | גֹ | גִ | גִי |
| 구 | 구-- | 고 | 고- | 고-- | 고-- | 기 | 기-- |
| גְ | גֶ | גֱ | גֵי | גֵ | גַ | גֲ | גָ |
| 게(그) | 게- | 게- | 게-- | 게-- | 가 | 가- | 가-- |
| גֻ | גוּ | גָ | גֳ | גוֹ | גֹ | גִ | גִי |
| 구 | 구-- | 고 | 고- | 고-- | 고-- | 기 | 기-- |
| | | | | | | | |
| 게(그) | 게- | 게- | 게-- | 게-- | 가 | 가- | 가-- |
| | | | | | | | |
| 구 | 구-- | 고 | 고- | 고-- | 고-- | 기 | 기-- |
| | | | | | | | |
| 게(그) | 게- | 게- | 게-- | 게-- | 가 | 가- | 가-- |
| | | | | | | | |
| 구 | 구-- | 고 | 고- | 고-- | 고-- | 기 | 기-- |

| | | | | | | | |
|---|---|---|---|---|---|---|---|
| דְ | דֶ | דֱ | דֵי | דֵ | דַ | דֲ | דָ |
| 데(드) | 데- | 데- | 데-- | 데-- | 다 | 다- | 다-- |
| דֻ | דוּ | דָ | דֳ | דוֹ | דֹ | דִ | דִי |
| 두 | 두-- | 도 | 도- | 도-- | 도-- | 디 | 디-- |
| דְ | דֶ | דֱ | דֵי | דֵ | דַ | דֲ | דָ |
| 데(드) | 데- | 데- | 데-- | 데-- | 다 | 다- | 다-- |
| דֻ | דוּ | דָ | דֳ | דוֹ | דֹ | דִ | דִי |
| 두 | 두-- | 도 | 도- | 도-- | 도-- | 디 | 디-- |
| דְ | דֶ | דֱ | דֵי | דֵ | דַ | דֲ | דָ |
| 데(드) | 데- | 데- | 데-- | 데-- | 다 | 다- | 다-- |
| דֻ | דוּ | דָ | דֳ | דוֹ | דֹ | דִ | דִי |
| 두 | 두-- | 도 | 도- | 도-- | 도-- | 디 | 디-- |
| | | | | | | | |
| 데(드) | 데- | 데- | 데-- | 데-- | 다 | 다- | 다-- |
| | | | | | | | |
| 두 | 두-- | 도 | 도- | 도-- | 도-- | 디 | 디-- |
| | | | | | | | |
| 데(드) | 데- | 데- | 데-- | 데-- | 다 | 다- | 다-- |
| | | | | | | | |
| 두 | 두-- | 도 | 도- | 도-- | 도-- | 디 | 디-- |

알파벳도 전체적으로 다시 한 번 써볼까요? 알파벳 역시 입과 눈과 귀가 사랑의 연합을 이루어야 한다는 것, 그리고 오른쪽에서 왼쪽으로 써야 한다는 것을 꼭 기억하셔야 합니다.

| י | ט | ח | ז | ו | ה | ד | ג | ב | א |
|---|---|---|---|---|---|---|---|---|---|
| 요드 | 테트 | 헤트 | 자인 | 바브 | 헤 | 달렛 | 기믈 | 베트 | 알렙 |
| | ע | ס | ן | נ | ם | מ | ל | ך | כ |
| | 아인 | 싸멕 | 눈꼬리 | 눈 | 멤꼬리 | 멤 | 라메드 | 카프꼬리 | 카프 |
| | ת | שׁ | שׂ | ר | ק | ץ | צ | ף | פ |
| | 타브 | 쉰 | 신 | 레쉬 | 코프 | 차디꼬리 | 차디 | 페꼬리 | 페 |
| י | ט | ח | ז | ו | ה | ד | ג | ב | א |
| | ע | ס | ן | נ | ם | מ | ל | ך | כ |
| | ת | שׁ | שׂ | ר | ק | ץ | צ | ף | פ |
| י | ט | ח | ז | ו | ה | ד | ג | ב | א |
| | ע | ס | ן | נ | ם | מ | ל | ך | כ |
| | ת | שׁ | שׂ | ר | ק | ץ | צ | ף | פ |

위 QR코드를 스마트폰으로 촬영하시면
히브리어 알파벳송 영상을 보실 수 있습니다.

첫째날 과제를 잘 마무리했다면, 날짜를 적어 보세요.

과제완료일 : 20 년 월 일

수현북스

· 오른쪽 끝에서부터 왼쪽 방향으로 적어 나가세요. 요드나 바브는 알파벳 자음이기도 합니다. 모음 기호를 그리기 전에 요드나 바브를 먼저 적어줍니다.

· 모음기호는 왼쪽, 그리고 상단에서부터 그려줍니다.

| הְ | הֶ | הֱ | הֵי | הֵ | הַ | הֲ | הָ |
|---|---|---|---|---|---|---|---|
| 헤(흐) | 헤- | 헤- | 헤-- | 헤-- | 하 | 하- | 하-- |
| הֻ | הוּ | הָ | הֳ | הוֹ | הֹ | הִ | הִי |
| 후 | 후-- | 호 | 호- | 호-- | 호-- | 히 | 히-- |
| הְ | הֶ | הֱ | הֵי | הֵ | הַ | הֲ | הָ |
| 헤(흐) | 헤- | 헤- | 헤-- | 하-- | 하 | 하- | 하-- |
| הֻ | הוּ | הָ | הֳ | הוֹ | הֹ | הִ | הִי |
| 후 | 후-- | 호 | 호- | 호-- | 호-- | 히 | 히-- |
| הְ | הֶ | הֱ | הֵי | הֵ | הַ | הֲ | הָ |
| 헤(흐) | 헤- | 헤- | 헤-- | 하-- | 하 | 하- | 하-- |
| הֻ | הוּ | הָ | הֳ | הוֹ | הֹ | הִ | הִי |
| 후 | 후-- | 호 | 호- | 호-- | 호-- | 히 | 히-- |
| | | | | | | | |
| 헤(흐) | 헤- | 헤- | 헤-- | 하-- | 하 | 하- | 하-- |
| | | | | | | | |
| 후 | 후-- | 호 | 호- | 호-- | 호-- | 히 | 히-- |

| וְ | וֶ | וֱ | וֵי | וֵ | וַ | וֲ | וָ |
|---|---|---|---|---|---|---|---|
| 베(브) | 베- | 베- | 베-- | 베-- | 바 | 바- | 바-- |
| וֻ | ווּ | וָ | וֳ | ווֹ | וֹ | וִ | וִי |
| 부 | 부-- | 보 | 보- | 보-- | 보-- | 비 | 비-- |
| וְ | וֶ | וֱ | וֵי | וֵ | וַ | וֲ | וָ |
| 베(브) | 베- | 베- | 베-- | 베-- | 바 | 바- | 바-- |
| וֻ | ווּ | וָ | וֳ | ווֹ | וֹ | וִ | וִי |
| 부 | 부-- | 보 | 보- | 보-- | 보-- | 비 | 비-- |
| וְ | וֶ | וֱ | וֵי | וֵ | וַ | וֲ | וָ |
| 베(브) | 베- | 베- | 베-- | 베-- | 바 | 바- | 바-- |
| וֻ | ווּ | וָ | וֳ | ווֹ | וֹ | וִ | וִי |
| 부 | 부-- | 보 | 보- | 보-- | 보-- | 비 | 비-- |
| | | | | | | | |
| 베(브) | 베- | 베- | 베-- | 베-- | 바 | 바- | 바-- |
| | | | | | | | |
| 부 | 부-- | 보 | 보- | 보-- | 보-- | 비 | 비-- |
| | | | | | | | |
| 베(브) | 베- | 베- | 베-- | 베-- | 바 | 바- | 바-- |
| | | | | | | | |
| 부 | 부-- | 보 | 보- | 보-- | 보-- | 비 | 비-- |

| זְ | זֶ | זֱ | זֵי | זֵ | זַ | זֲ | זָ |
|---|---|---|---|---|---|---|---|
| 제(즈) | 제- | 제- | 제-- | 제-- | 자 | 자- | 자-- |
| זֻ | זוּ | זָ | זֳ | זוֹ | זֹ | זִ | זִי |
| 주 | 주-- | 조 | 조- | 조-- | 조-- | 지 | 지-- |
| זְ | זֶ | זֱ | זֵי | זֵ | זַ | זֲ | זָ |
| 제(즈) | 제- | 제- | 제-- | 제-- | 자 | 자- | 자-- |
| זֻ | זוּ | זָ | זֳ | זוֹ | זֹ | זִ | זִי |
| 주 | 주-- | 조 | 조- | 조-- | 조-- | 지 | 지-- |
| זְ | זֶ | זֱ | זֵי | זֵ | זַ | זֲ | זָ |
| 제(즈) | 제- | 제- | 제-- | 제-- | 자 | 자- | 자-- |
| זֻ | זוּ | זָ | זֳ | זוֹ | זֹ | זִ | זִי |
| 주 | 주-- | 조 | 조- | 조-- | 조-- | 지 | 지-- |
| | | | | | | | |
| 제(즈) | 제- | 제- | 제-- | 제-- | 자 | 자- | 자-- |
| | | | | | | | |
| 주 | 주-- | 조 | 조- | 조-- | 조-- | 지 | 지-- |
| | | | | | | | |
| 제(즈) | 제- | 제- | 제-- | 제-- | 자 | 자- | 자-- |
| | | | | | | | |
| 주 | 주-- | 조 | 조- | 조-- | 조-- | 지 | 지-- |

· ח헤트는 'ㅎ'과 'ㅋ'의 중간쯤 되는 발음입니다. 표기상 'ㅎ'으로 기재했습니다.

| חְ | חֶ | חֱ | חֵי | חֵ | חַ | חֲ | חָ |
|---|---|---|---|---|---|---|---|
| 헤(흐) | 헤- | 헤- | 헤-- | 헤-- | 하 | 하- | 하-- |
| חֻ | חוּ | חָ | חֳ | חוֹ | חֹ | חִ | חִי |
| 후 | 후-- | 호 | 호- | 호-- | 호-- | 히 | 히-- |
| חְ | חֶ | חֱ | חֵי | חֵ | חַ | חֲ | חָ |
| 헤(흐) | 헤- | 헤- | 헤-- | 헤-- | 하 | 하- | 하-- |
| חֻ | חוּ | חָ | חֳ | חוֹ | חֹ | חִ | חִי |
| 후 | 후-- | 호 | 호- | 호-- | 호-- | 히 | 히-- |
| חְ | חֶ | חֱ | חֵי | חֵ | חַ | חֲ | חָ |
| 헤(흐) | 헤- | 헤- | 헤-- | 헤-- | 하 | 하- | 하-- |
| חֻ | חוּ | חָ | חֳ | חוֹ | חֹ | חִ | חִי |
| 후 | 후-- | 호 | 호- | 호-- | 호-- | 히 | 히-- |
| | | | | | | | |
| 헤(흐) | 헤- | 헤- | 헤-- | 헤-- | 하 | 하- | 하-- |
| | | | | | | | |
| 후 | 후-- | 호 | 호- | 호-- | 호-- | 히 | 히-- |
| | | | | | | | |
| 헤(흐) | 헤- | 헤- | 헤-- | 헤-- | 하 | 하- | 하-- |
| | | | | | | | |
| 후 | 후-- | 호 | 호- | 호-- | 호-- | 히 | 히-- |

알파벳도 전체적으로 한 번 더 써보겠습니다. 알파벳 역시 입과 눈과 귀가 사랑의 연합을 이루어야 한다는 것, 그리고 오른쪽에서 왼쪽으로 써야 한다는 것을 꼭 기억하셔야 합니다.

| | | | | | | | | | |
|---|---|---|---|---|---|---|---|---|---|
| י | ט | ח | ז | ו | ה | ד | ג | ב | א |
| 요드 | 테트 | 헤트 | 자인 | 바브 | 헤 | 달렛 | 기믈 | 베트 | 알렙 |
| | ע | ס | ן | נ | ם | מ | ל | ך | כ |
| | 아인 | 싸멕 | 눈꼬리 | 눈 | 멤꼬리 | 멤 | 라메드 | 카프꼬리 | 카프 |
| | ת | שׁ | שׂ | ר | ק | ץ | צ | ף | פּ |
| | 타브 | 쉰 | 신 | 레쉬 | 코프 | 차디꼬리 | 차디 | 페꼬리 | 페 |
| י | ט | ח | ז | ו | ה | ד | ג | ב | א |
| | ע | ס | ן | נ | ם | מ | ל | ך | כ |
| | ת | שׁ | שׂ | ר | ק | ץ | צ | ף | פּ |
| | | | | | | | | | |
| | | | | | | | | | |
| | | | | | | | | | |

위 QR코드를 스마트폰으로 촬영하시면
히브리어 알파벳송 영상을 보실 수 있습니다.

둘째날 과제를 잘 마무리했다면, 날짜를 적어 보세요.

과제완료일 : 20 년 월 일

수현북스

· 오른쪽 끝에서부터 왼쪽 방향으로 적어 나가세요. 요드나 바브는 알파벳 자음이기도 합니다. 모음 기호를 그리기 전에 요드나 바브를 먼저 적어줍니다.

· 모음기호는 왼쪽, 그리고 상단에서부터 그려줍니다.

| טְ | טֶ | טֱ | טֵי | טֵ | טַ | טֲ | טָ |
|---|---|---|---|---|---|---|---|
| 테(트) | 테- | 테- | 테-- | 테-- | 타 | 타- | 타-- |
| טֻ | טוּ | טָ | טֳ | טוֹ | טֹ | טִ | טִי |
| 투 | 투-- | 토 | 토- | 토-- | 토-- | 티 | 티-- |
| טְ | טֶ | טֱ | טֵי | טֵ | טַ | טֲ | טָ |
| 테(트) | 테- | 테- | 테-- | 테-- | 타 | 타- | 타-- |
| טֻ | טוּ | טָ | טֳ | טוֹ | טֹ | טִ | טִי |
| 투 | 투-- | 토 | 토- | 토-- | 토-- | 티 | 티-- |
| טְ | טֶ | טֱ | טֵי | טֵ | טַ | טֲ | טָ |
| 테(트) | 테- | 테- | 테-- | 테-- | 타 | 타- | 타-- |
| טֻ | טוּ | טָ | טֳ | טוֹ | טֹ | טִ | טִי |
| 투 | 투-- | 토 | 토- | 토-- | 토-- | 티 | 티-- |
| | | | | | | | |
| 테(트) | 테- | 테- | 테-- | 테-- | 타 | 타- | 타-- |
| | | | | | | | |
| 투 | 투-- | 토 | 토- | 토-- | 토-- | 티 | 티-- |

| כְ | כֶ | כֱ | כֵי | כֵ | כַ | כֲ | כָ |
|---|---|---|---|---|---|---|---|
| 케(크) | 케- | 케- | 케-- | 케-- | 카 | 카- | 카-- |
| כֻ | כוּ | כָ | כֳ | כוֹ | כֹ | כִ | כִי |
| 쿠 | 쿠-- | 코 | 코- | 코-- | 코-- | 키 | 키-- |
| כְ | כֶ | כֱ | כֵי | כֵ | כַ | כֲ | כָ |
| 케(크) | 케- | 케- | 케-- | 케-- | 카 | 카- | 카-- |
| כֻ | כוּ | כָ | כֳ | כוֹ | כֹ | כִ | כִי |
| 쿠 | 쿠-- | 코 | 코- | 코-- | 코-- | 키 | 키-- |
| כְ | כֶ | כֱ | כֵי | כֵ | כַ | כֲ | כָ |
| 케(크) | 케- | 케- | 케-- | 케-- | 카 | 카- | 카-- |
| כֻ | כוּ | כָ | כֳ | כוֹ | כֹ | כִ | כִי |
| 쿠 | 쿠-- | 코 | 코- | 코-- | 코-- | 키 | 키-- |
| | | | | | | | |
| 케(크) | 케- | 케- | 케-- | 케-- | 카 | 카- | 카-- |
| | | | | | | | |
| 쿠 | 쿠-- | 코 | 코- | 코-- | 코-- | 키 | 키-- |
| | | | | | | | |
| 케(크) | 케- | 케- | 케-- | 케-- | 카 | 카- | 카-- |
| | | | | | | | |
| 쿠 | 쿠-- | 코 | 코- | 코-- | 코-- | 키 | 키-- |

· ל라메드는 'ㄹ'리을발음이 아니라 '을' 발음입니다.

| לְ | לֶ | לֱ | לֵי | לֵ | לַ | לֲ | לָ |
|---|---|---|---|---|---|---|---|
| 을레(을르) | (을)레- | (을)레- | (을)레-- | (을)레-- | (을)라 | (을)라- | (을)라-- |
| לֻ | לוּ | לָ | לֳ | לוֹ | לֹ | לִ | לִי |
| (을)루 | (을)루-- | (을)로 | (을)로- | (을)로-- | (을)로-- | (을)리 | (을)리-- |
| לְ | לֶ | לֱ | לֵי | לֵ | לַ | לֲ | לָ |
| 을레(을르) | (을)레- | (을)레- | (을)레-- | (을)레-- | (을)라 | (을)라- | (을)라-- |
| לֻ | לוּ | לָ | לֳ | לוֹ | לֹ | לִ | לִי |
| (을)루 | (을)루-- | (을)로 | (을)로- | (을)로-- | (을)로-- | (을)리 | (을)리-- |
| לְ | לֶ | לֱ | לֵי | לֵ | לַ | לֲ | לָ |
| 을레(을르) | (을)레- | (을)레- | (을)레-- | (을)레-- | (을)라 | (을)라- | (을)라-- |
| לֻ | לוּ | לָ | לֳ | לוֹ | לֹ | לִ | לִי |
| (을)루 | (을)루-- | (을)로 | (을)로- | (을)로-- | (을)로-- | (을)리 | (을)리-- |
| | | | | | | | |
| 을레(을르) | (을)레- | (을)레- | (을)레-- | (을)레-- | (을)라 | (을)라- | (을)라-- |
| | | | | | | | |
| (을)루 | (을)루-- | (을)로 | (을)로- | (을)로-- | (을)로-- | (을)리 | (을)리-- |
| | | | | | | | |
| 을레(을르) | (을)레- | (을)레- | (을)레-- | (을)레-- | (을)라 | (을)라- | (을)라-- |
| | | | | | | | |
| (을)루 | (을)루-- | (을)로 | (을)로- | (을)로-- | (을)로-- | (을)리 | (을)리-- |

· 꼬리형의 경우, ך카프 꼬리형을 제외하고는 일반적으로 모음이 붙지 않습니다.

| מְ | מֶ | מֱ | מֵי | מֵ | מַ | מֲ | מָ |
|---|---|---|---|---|---|---|---|
| 메(므) | 메- | 메- | 메-- | 메-- | 마 | 마- | 마-- |
| מֻ | מוּ | מָ | מֳ | מוֹ | מֹ | מִ | מִי |
| 무 | 무-- | 모 | 모- | 모-- | 모-- | 미 | 미-- |
| מְ | מֶ | מֱ | מֵי | מֵ | מַ | מֲ | מָ |
| 메(므) | 메- | 메- | 메-- | 메-- | 마 | 마- | 마-- |
| מֻ | מוּ | מָ | מֳ | מוֹ | מֹ | מִ | מִי |
| 무 | 무-- | 모 | 모- | 모-- | 모-- | 미 | 미-- |
| מְ | מֶ | מֱ | מֵי | מֵ | מַ | מֲ | מָ |
| 메(므) | 메- | 메- | 메-- | 메-- | 마 | 마- | 마-- |
| מֻ | מוּ | מָ | מֳ | מוֹ | מֹ | מִ | מִי |
| 무 | 무-- | 모 | 모- | 모-- | 모-- | 미 | 미-- |
| | | | | | | | |
| 메(므) | 메- | 메- | 메-- | 메-- | 마 | 마- | 마-- |
| | | | | | | | |
| 무 | 무-- | 모 | 모- | 모-- | 모-- | 미 | 미-- |
| | | | | | | | |
| 메(므) | 메- | 메- | 메-- | 메-- | 마 | 마- | 마-- |
| | | | | | | | |
| 무 | 무-- | 모 | 모- | 모-- | 모-- | 미 | 미-- |

알파벳도 전체적으로 한 번 더 써보겠습니다. 알파벳 역시 입과 눈과 귀가 사랑의 연합을 이루어야 한다는 것, 그리고 오른쪽에서 왼쪽으로 써야 한다는 것을 꼭 기억하셔야 합니다.

| י | ט | ח | ז | ו | ה | ד | ג | ב | א |
|---|---|---|---|---|---|---|---|---|---|
| 요드 | 테트 | 헤트 | 자인 | 바브 | 헤 | 달렛 | 기믈 | 베트 | 알렙 |
| | ע | ס | ן | נ | ם | מ | ל | ך | כ |
| | 아인 | 싸멕 | 눈꼬리 | 눈 | 멤꼬리 | 멤 | 라메드 | 카프꼬리 | 카프 |
| | ת | שׁ | שׂ | ר | ק | ץ | צ | ף | פ |
| | 타브 | 쉰 | 신 | 레쉬 | 코프 | 차디꼬리 | 차디 | 페꼬리 | 페 |
| י | ט | ח | ז | ו | ה | ד | ג | ב | א |
| | ע | ס | ן | נ | ם | מ | ל | ך | כ |
| | ת | שׁ | שׂ | ר | ק | ץ | צ | ף | פ |
| | | | | | | | | | |
| | | | | | | | | | |
| | | | | | | | | | |

위 QR코드를 스마트폰으로 촬영하시면
히브리어 알파벳송 영상을 보실 수 있습니다.

셋째날 과제를 잘 마무리했다면, 날짜를 적어 보세요.

과제완료일 : 20 년 월 일

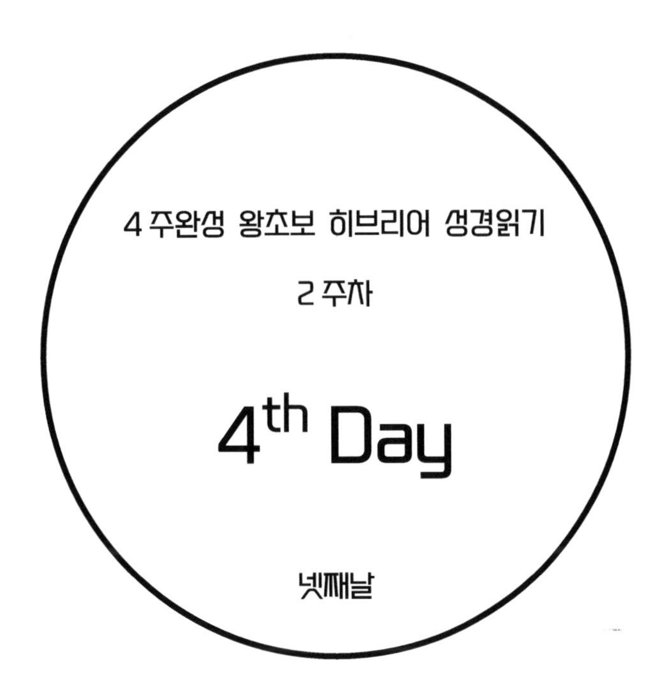

수현북스

· 오른쪽 끝에서부터 왼쪽 방향으로 적어 나가세요. 요드나 바브는 알파벳 자음이기도 합니다. 모음 기호를 그리기 전에 요드나 바브를 먼저 적어줍니다.

· 모음기호는 왼쪽, 그리고 상단에서부터 그려줍니다.

| נְ | נֶ | נֱ | נֵי | נֵ | נַ | נֲ | נָ |
|---|---|---|---|---|---|---|---|
| 네(느) | 네- | 네- | 네-- | 네-- | 나 | 나- | 나-- |
| נֻ | נוּ | נָ | נֳ | נוֹ | נֹ | נִ | נִי |
| 누 | 누-- | 노 | 노- | 노-- | 노-- | 니 | 니-- |
| נְ | נֶ | נֱ | נֵי | נֵ | נַ | נֲ | נָ |
| 네(느) | 네- | 네- | 네-- | 네-- | 나 | 나- | 나-- |
| נֻ | נוּ | נָ | נֳ | נוֹ | נֹ | נִ | נִי |
| 누 | 누-- | 노 | 노- | 노-- | 노-- | 니 | 니-- |
| נְ | נֶ | נֱ | נֵי | נֵ | נַ | נֲ | נָ |
| 네(느) | 네- | 네- | 네-- | 네-- | 나 | 나- | 나-- |
| נֻ | נוּ | נָ | נֳ | נוֹ | נֹ | נִ | נִי |
| 누 | 누-- | 노 | 노- | 노-- | 노-- | 니 | 니-- |
| | | | | | | | |
| 네(느) | 네- | 네- | 네-- | 네-- | 나 | 나- | 나-- |
| | | | | | | | |
| 누 | 누-- | 노 | 노- | 노-- | 노-- | 니 | 니-- |

· ס싸메크는 'ㅆ'쌍시옷발음입니다.

| סְ | סֶ | סֱ | סֵי | סֵ | סַ | סֲ | סָ |
|---|---|---|---|---|---|---|---|
| 쎄(쓰) | 쎄- | 쎄- | 쎄-- | 쎄-- | 싸 | 싸- | 싸-- |
| סֻ | סוּ | סָ | סֳ | סוֹ | סֹ | סִ | סִי |
| 쑤 | 쑤-- | 쏘 | 쏘- | 쏘-- | 쏘-- | 씨 | 씨-- |
| סְ | סֶ | סֱ | סֵי | סֵ | סַ | סֲ | סָ |
| 쎄(쓰) | 쎄- | 쎄- | 쎄-- | 쎄-- | 싸 | 싸- | 싸-- |
| סֻ | סוּ | סָ | סֳ | סוֹ | סֹ | סִ | סִי |
| 쑤 | 쑤-- | 쏘 | 쏘- | 쏘-- | 쏘-- | 씨 | 씨-- |
| סְ | סֶ | סֱ | סֵי | סֵ | סַ | סֲ | סָ |
| 쎄(쓰) | 쎄- | 쎄- | 쎄-- | 쎄-- | 싸 | 싸- | 싸-- |
| סֻ | סוּ | סָ | סֳ | סוֹ | סֹ | סִ | סִי |
| 쑤 | 쑤-- | 쏘 | 쏘- | 쏘-- | 쏘-- | 씨 | 씨-- |
| | | | | | | | |
| 쎄(쓰) | 쎄- | 쎄- | 쎄-- | 쎄-- | 싸 | 싸- | 싸-- |
| | | | | | | | |
| 쑤 | 쑤-- | 쏘 | 쏘- | 쏘-- | 쏘-- | 씨 | 씨-- |
| | | | | | | | |
| 쎄(쓰) | 쎄- | 쎄- | 쎄-- | 쎄-- | 싸 | 싸- | 싸-- |
| | | | | | | | |
| 쑤 | 쑤-- | 쏘 | 쏘- | 쏘-- | 쏘-- | 씨 | 씨-- |

· ל라메드는 'ㄹ'리을발음이 아니라 '을' 발음입니다.

| עְ | עֶ | עֱ | עֵי | עֵ | עַ | עֲ | עָ |
|---|---|---|---|---|---|---|---|
| 에(으) | 에- | 에- | 에-- | 레-- | 아 | 아- | 아-- |
| עֻ | עוּ | עָ | עֳ | עוֹ | עֹ | עִ | עִי |
| 우 | 우-- | 오 | 오- | 오-- | 오-- | 이 | 이-- |
| עְ | עֶ | עֱ | עֵי | עֵ | עַ | עֲ | עָ |
| 에(으) | 에- | 에- | 에-- | 레-- | 아 | 아- | 아-- |
| עֻ | עוּ | עָ | עֳ | עוֹ | עֹ | עִ | עִי |
| 우 | 우-- | 오 | 오- | 오-- | 오-- | 이 | 이-- |
| עְ | עֶ | עֱ | עֵי | עֵ | עַ | עֲ | עָ |
| 에(으) | 에- | 에- | 에-- | 레-- | 아 | 아- | 아-- |
| עֻ | עוּ | עָ | עֳ | עוֹ | עֹ | עִ | עִי |
| 우 | 우-- | 오 | 오- | 오-- | 오-- | 이 | 이-- |
| | | | | | | | |
| 에(으) | 에- | 에- | 에-- | 레-- | 아 | 아- | 아-- |
| | | | | | | | |
| 우 | 우-- | 오 | 오- | 오-- | 오-- | 이 | 이-- |
| | | | | | | | |
| 에(으) | 에- | 에- | 에-- | 레-- | 아 | 아- | 아-- |
| | | | | | | | |
| 우 | 우-- | 오 | 오- | 오-- | 오-- | 이 | 이-- |

| פְ | פֶ | פֱ | פֵי | פֵ | פַ | פֲ | פָ |
|---|---|---|---|---|---|---|---|
| 페(프) | 페- | 페- | 페-- | 페-- | 파 | 파- | 파-- |
| פֻ | פוּ | פָ | פֳ | פוֹ | פֹ | פִ | פִי |
| 푸 | 푸-- | 포 | 포- | 포-- | 포-- | 피 | 피-- |
| פְ | פֶ | פֱ | פֵי | פֵ | פַ | פֲ | פָ |
| 페(프) | 페- | 페- | 페-- | 페-- | 파 | 파- | 파-- |
| פֻ | פוּ | פָ | פֳ | פוֹ | פֹ | פִ | פִי |
| 푸 | 푸-- | 포 | 포- | 포-- | 포-- | 피 | 피-- |
| פְ | פֶ | פֱ | פֵי | פֵ | פַ | פֲ | פָ |
| 페(프) | 페- | 페- | 페-- | 페-- | 파 | 파- | 파-- |
| פֻ | פוּ | פָ | פֳ | פוֹ | פֹ | פִ | פִי |
| 푸 | 푸-- | 포 | 포- | 포-- | 포-- | 피 | 피-- |
| | | | | | | | |
| 페(프) | 페- | 페- | 페-- | 페-- | 파 | 파- | 파-- |
| | | | | | | | |
| 푸 | 푸-- | 포 | 포- | 포-- | 포-- | 피 | 피-- |
| | | | | | | | |
| 페(프) | 페- | 페- | 페-- | 페-- | 파 | 파- | 파-- |
| | | | | | | | |
| 푸 | 푸-- | 포 | 포- | 포-- | 포-- | 피 | 피-- |

알파벳도 전체적으로 한 번 더 써보겠습니다. 알파벳 역시 입과 눈과 귀가 사랑의 연합을 이루어야 한다는 것, 그리고 오른쪽에서 왼쪽으로 써야 한다는 것을 꼭 기억하셔야 합니다.

| י | ט | ח | ז | ו | ה | ד | ג | ב | א |
|---|---|---|---|---|---|---|---|---|---|
| 요드 | 테트 | 헤트 | 자인 | 바브 | 헤 | 달렛 | 기믈 | 베트 | 알렙 |
| | ע | ס | ן | נ | ם | מ | ל | ך | כ |
| | 아인 | 싸멕 | 눈꼬리 | 눈 | 멤꼬리 | 멤 | 라메드 | 카프꼬리 | 카프 |
| | ת | שׁ | שׂ | ר | ק | ץ | צ | ף | פ |
| | 타브 | 쉰 | 신 | 레쉬 | 코프 | 차디꼬리 | 차디 | 페꼬리 | 페 |
| י | ט | ח | ז | ו | ה | ד | ג | ב | א |
| | ע | ס | ן | נ | ם | מ | ל | ך | כ |
| | ת | שׁ | שׂ | ר | ק | ץ | צ | ף | פ |
| | | | | | | | | | |
| | | | | | | | | | |
| | | | | | | | | | |

위 QR코드를 스마트폰으로 촬영하시면
히브리어 알파벳송 영상을 보실 수 있습니다.

넷째날 과제를 잘 마무리했다면, 날짜를 적어 보세요.

과제완료일 : 20  년  월  일

수현북스

· 오른쪽 끝에서부터 왼쪽 방향으로 적어 나가세요. 요드나 바브는 알파벳 자음이기도 합니다. 모음 기호를 그리기 전에 요드나 바브를 먼저 적어줍니다.

· 모음기호는 왼쪽, 그리고 상단에서부터 그려줍니다.

| צְ | צֶ | צֱ | צֵי | צֵ | צַ | צֲ | צָ |
| --- | --- | --- | --- | --- | --- | --- | --- |
| 체(츠) | 체- | 체- | 체-- | 체-- | 차 | 차- | 차-- |
| צֻ | צוּ | צָ | צֳ | צוֹ | צֹ | צִ | צִי |
| 추 | 추-- | 초 | 초- | 초-- | 초-- | 치 | 치-- |
| צְ | צֶ | צֱ | צֵי | צֵ | צַ | צֲ | צָ |
| 체(츠) | 체- | 체- | 체-- | 체-- | 차 | 차- | 차-- |
| צֻ | צוּ | צָ | צֳ | צוֹ | צֹ | צִ | צִי |
| 추 | 추-- | 초 | 초- | 초-- | 초-- | 치 | 치-- |
| צְ | צֶ | צֱ | צֵי | צֵ | צַ | צֲ | צָ |
| 체(츠) | 체- | 체- | 체-- | 체-- | 차 | 차- | 차-- |
| צֻ | צוּ | צָ | צֳ | צוֹ | צֹ | צִ | צִי |
| 추 | 추-- | 초 | 초- | 초-- | 초-- | 치 | 치-- |
| | | | | | | | |
| 체(츠) | 체- | 체- | 체-- | 체-- | 차 | 차- | 차-- |
| | | | | | | | |
| 추 | 추-- | 초 | 초- | 초-- | 초-- | 치 | 치-- |

| קְ | קֶ | קֱ | קֵי | קֵ | קַ | קֲ | קָ |
|---|---|---|---|---|---|---|---|
| 케(크) | 케- | 케- | 케-- | 케-- | 카 | 카- | 카-- |
| קֻ | קוּ | קָ | קֳ | קוֹ | קֹ | קִ | קִי |
| 쿠 | 쿠-- | 코 | 코- | 코-- | 코-- | 키 | 키-- |
| קְ | קֶ | קֱ | קֵי | קֵ | קַ | קֲ | קָ |
| 케(크) | 케- | 케- | 케-- | 케-- | 카 | 카- | 카-- |
| קֻ | קוּ | קָ | קֳ | קוֹ | קֹ | קִ | קִי |
| 쿠 | 쿠-- | 코 | 코- | 코-- | 코-- | 키 | 키-- |
| קְ | קֶ | קֱ | קֵי | קֵ | קַ | קֲ | קָ |
| 케(크) | 케- | 케- | 케-- | 케-- | 카 | 카- | 카-- |
| קֻ | קוּ | קָ | קֳ | קוֹ | קֹ | קִ | קִי |
| 쿠 | 쿠-- | 코 | 코- | 코-- | 코-- | 키 | 키-- |
| | | | | | | | |
| 케(크) | 케- | 케- | 케-- | 케-- | 카 | 카- | 카-- |
| | | | | | | | |
| 쿠 | 쿠-- | 코 | 코- | 코-- | 코-- | 키 | 키-- |
| | | | | | | | |
| 케(크) | 케- | 케- | 케-- | 케-- | 카 | 카- | 카-- |
| | | | | | | | |
| 쿠 | 쿠-- | 코 | 코- | 코-- | 코-- | 키 | 키-- |

· ל라메드는 '을' 발음, ר레쉬는 'R'발음입니다. 최대한 굴려서 [으롸]식으로 발음하세요.

| רְ | רֶ | רֱ | רֵי | רֵ | רַ | רֲ | רָ |
|---|---|---|---|---|---|---|---|
| 뤠(르) | 뤠- | 뤠- | 뤠-- | 뤠-- | 롸 | 롸- | 롸-- |
| רֻ | רוּ | רָ | רֳ | רוֹ | רֹ | רִ | רִי |
| 루 | 루-- | 로 | 로- | 로-- | 로-- | 뤼 | 뤼-- |
| רְ | רֶ | רֱ | רֵי | רֵ | רַ | רֲ | רָ |
| 뤠(르) | 뤠- | 뤠- | 뤠-- | 뤠-- | 롸 | 롸- | 롸-- |
| רֻ | רוּ | רָ | רֳ | רוֹ | רֹ | רִ | רִי |
| 루 | 루-- | 로 | 로- | 로-- | 로-- | 뤼 | 뤼-- |
| רְ | רֶ | רֱ | רֵי | רֵ | רַ | רֲ | רָ |
| 뤠(르) | 뤠- | 뤠- | 뤠-- | 뤠-- | 롸 | 롸- | 롸-- |
| רֻ | רוּ | רָ | רֳ | רוֹ | רֹ | רִ | רִי |
| 루 | 루-- | 로 | 로- | 로-- | 로-- | 뤼 | 뤼-- |
| | | | | | | | |
| 뤠(르) | 뤠- | 뤠- | 뤠-- | 뤠-- | 롸 | 롸- | 롸-- |
| | | | | | | | |
| 루 | 루-- | 로 | 로- | 로-- | 로-- | 뤼 | 뤼-- |
| | | | | | | | |
| 뤠(르) | 뤠- | 뤠- | 뤠-- | 뤠-- | 롸 | 롸- | 롸-- |
| | | | | | | | |
| 루 | 루-- | 로 | 로- | 로-- | 로-- | 뤼 | 뤼-- |

| שְׁ | שֶׁ | שֱׁ | שֵׁי | שֵׁ | שַׁ | שֲׁ | שָׁ |
|---|---|---|---|---|---|---|---|
| 세(스) | 세- | 세- | 세-- | 세-- | 사 | 사- | 사-- |
| שֻׁ | שׁוּ | שָׁ | שֳׁ | שׁוֹ | שֹׁ | שִׁ | שִׁי |
| 수 | 수-- | 소 | 소- | 소-- | 소-- | 시 | 시-- |
| שְׁ | שֶׁ | שֱׁ | שֵׁי | שֵׁ | שַׁ | שֲׁ | שָׁ |
| 세(스) | 세- | 세- | 세-- | 세-- | 사 | 사- | 사-- |
| שֻׁ | שׁוּ | שָׁ | שֳׁ | שׁוֹ | שֹׁ | שִׁ | שִׁי |
| 수 | 수-- | 소 | 소- | 소-- | 소-- | 시 | 시-- |
| שְׁ | שֶׁ | שֱׁ | שֵׁי | שֵׁ | שַׁ | שֲׁ | שָׁ |
| 세(스) | 세- | 세- | 세-- | 세-- | 사 | 사- | 사-- |
| שֻׁ | שׁוּ | שָׁ | שֳׁ | שׁוֹ | שֹׁ | שִׁ | שִׁי |
| 수 | 수-- | 소 | 소- | 소-- | 소-- | 시 | 시-- |
| | | | | | | | |
| 세(스) | 세- | 세- | 세-- | 세-- | 사 | 사- | 사-- |
| | | | | | | | |
| 수 | 수-- | 소 | 소- | 소-- | 소-- | 시 | 시-- |
| | | | | | | | |
| 세(스) | 세- | 세- | 세-- | 세-- | 사 | 사- | 사-- |
| | | | | | | | |
| 수 | 수-- | 소 | 소- | 소-- | 소-- | 시 | 시-- |

알파벳도 전체적으로 한 번 더 써보겠습니다. 알파벳 역시 입과 눈과 귀가 사랑의 연합을 이루어야 한다는 것, 그리고 오른쪽에서 왼쪽으로 써야 한다는 것을 꼭 기억하셔야 합니다.

| | | | | | | | | | |
|---|---|---|---|---|---|---|---|---|---|
| י | ט | ח | ז | ו | ה | ד | ג | ב | א |
| 요드 | 테트 | 헤트 | 자인 | 바브 | 헤 | 달렛 | 기믈 | 베트 | 알렙 |
| | ע | ס | ן | נ | ם | מ | ל | ך | כ |
| | 아인 | 싸멕 | 눈꼬리 | 눈 | 멤꼬리 | 멤 | 라메드 | 카프꼬리 | 카프 |
| | ת | שׁ | שׂ | ר | ק | ץ | צ | ף | פ |
| | 타브 | 쉰 | 신 | 레쉬 | 코프 | 차디꼬리 | 차디 | 페꼬리 | 페 |
| י | ט | ח | ז | ו | ה | ד | ג | ב | א |
| | ע | ס | ן | נ | ם | מ | ל | ך | כ |
| | ת | שׁ | שׂ | ר | ק | ץ | צ | ף | פ |
| | | | | | | | | | |
| | | | | | | | | | |
| | | | | | | | | | |

위 QR코드를 스마트폰으로 촬영하시면
히브리어 알파벳송 영상을 보실 수 있습니다.

다섯째날 과제를 잘 마무리했다면, 날짜를 적어 보세요.

과제완료일 : 20　　년　　월　　일

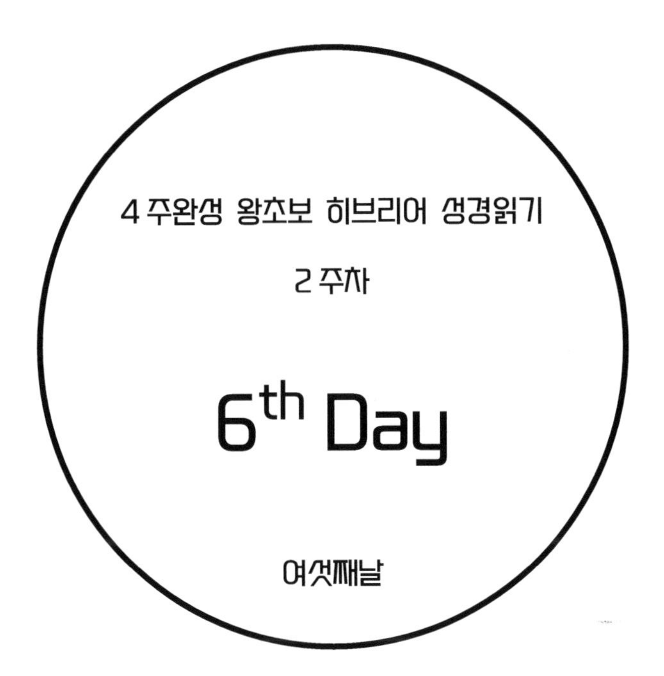

수현북스

· 오른쪽 끝에서부터 왼쪽 방향으로 적어 나가세요. 요드나 바브는 알파벳 자음이기도 합니다. 모음 기호를 그리기 전에 요드나 바브를 먼저 적어줍니다.

· 모음기호는 왼쪽, 그리고 상단에서부터 그려줍니다.

| שְׁ | שֶׁ | שֱׁ | שֵׁי | שֵׁ | שַׁ | שֲׁ | שָׁ |
|---|---|---|---|---|---|---|---|
| 셰(슈) | 셰- | 셰- | 셰-- | 셰-- | 샤 | 샤- | 샤-- |
| שֻׁ | שׁוּ | שָׁ | שֳׁ | שׁוֹ | שֹׁ | שִׁ | שִׁי |
| 슈 | 슈-- | 쇼 | 쇼- | 쇼-- | 쇼-- | 쉬 | 쉬-- |
| שְׁ | שֶׁ | שֱׁ | שֵׁי | שֵׁ | שַׁ | שֲׁ | שָׁ |
| 셰(슈) | 셰- | 셰- | 셰-- | 셰-- | 샤 | 샤- | 샤-- |
| שֻׁ | שׁוּ | שָׁ | שֳׁ | שׁוֹ | שֹׁ | שִׁ | שִׁי |
| 슈 | 슈-- | 쇼 | 쇼- | 쇼-- | 쇼-- | 쉬 | 쉬-- |
| שְׁ | שֶׁ | שֱׁ | שֵׁי | שֵׁ | שַׁ | שֲׁ | שָׁ |
| 셰(슈) | 셰- | 셰- | 셰-- | 셰-- | 샤 | 샤- | 샤-- |
| שֻׁ | שׁוּ | שָׁ | שֳׁ | שׁוֹ | שֹׁ | שִׁ | שִׁי |
| 슈 | 슈-- | 쇼 | 쇼- | 쇼-- | 쇼-- | 쉬 | 쉬-- |
| | | | | | | | |
| 셰(슈) | 셰- | 셰- | 셰-- | 셰-- | 샤 | 샤- | 샤-- |
| | | | | | | | |
| 슈 | 슈-- | 쇼 | 쇼- | 쇼-- | 쇼-- | 쉬 | 쉬-- |

| תְ | תֶ | תֱ | תֵי | תֵ | תַ | תֲ | תָ |
|---|---|---|---|---|---|---|---|
| 케(크) | 케- | 케- | 케-- | 케-- | 카 | 카- | 카-- |
| תֻ | תוּ | תָ | תֳ | תוֹ | תֹ | תִ | תִי |
| 쿠 | 쿠-- | 코 | 코- | 코-- | 코-- | 키 | 키-- |
| תְ | תֶ | תֱ | תֵי | תֵ | תַ | תֲ | תָ |
| 케(크) | 케- | 케- | 케-- | 케-- | 카 | 카- | 카-- |
| תֻ | תוּ | תָ | תֳ | תוֹ | תֹ | תִ | תִי |
| 쿠 | 쿠-- | 코 | 코- | 코-- | 코-- | 키 | 키-- |
| תְ | תֶ | תֱ | תֵי | תֵ | תַ | תֲ | תָ |
| 케(크) | 케- | 케- | 케-- | 케-- | 카 | 카- | 카-- |
| תֻ | תוּ | תָ | תֳ | תוֹ | תֹ | תִ | תִי |
| 쿠 | 쿠-- | 코 | 코- | 코-- | 코-- | 키 | 키-- |
| | | | | | | | |
| 케(크) | 케- | 케- | 케-- | 케-- | 카 | 카- | 카-- |
| | | | | | | | |
| 쿠 | 쿠-- | 코 | 코- | 코-- | 코-- | 키 | 키-- |
| | | | | | | | |
| 케(크) | 케- | 케- | 케-- | 케-- | 카 | 카- | 카-- |
| | | | | | | | |
| 쿠 | 쿠-- | 코 | 코- | 코-- | 코-- | 키 | 키-- |

· 이번에는 조금 어려울 수도 있습니다. 천천히 한 글자씩 잘 따라 읽으면서 써보세요.

| חְ | זֶ | וֶ | הֵי | דֵ | גַ | בָ | אָ |
|---|---|---|---|---|---|---|---|
| 헤(흐) | 제- | 베- | 헤-- | 데-- | 가 | 바- | 아-- |
| עֻ | סוּ | נָ | מֳ | לוֹ | כֹ | יִ | טִי |
| 우 | 쑤-- | 노 | 모- | (을)로-- | 코-- | 이 | 티-- |
| אֱ | תֶ | שֶׁ | שֵׂי | רֵ | קַ | צָ | פָּ |
| 에(으) | 테- | 셰- | 세-- | 뤠-- | 카 | 차- | 파-- |
| טֻ | חוּ | זָ | וֳ | הוֹ | דֹ | גִּ | בִּי |
| 투 | 후-- | 조 | 보- | 호-- | 도-- | 기 | 비-- |
| פְּ | עֶ | סֶ | נֵי | מֵ | לַ | כָּ | יָ |
| 페(프) | 에- | 쎄- | 네-- | 메-- | (을)라 | 카- | 야-- |
| בֻ | אוּ | תָ | שֳׁ | שׂוֹ | רֹ | קִ | צִי |
| 부 | 우-- | 토 | 쇼- | 소-- | 로-- | 키 | 치-- |
| יְ | טֶ | חֶ | זֵי | וֵ | הַ | דָ | גָ |
| 예(이) | 테- | 헤- | 제-- | 베-- | 하 | 다- | 가-- |
| צֻ | פוּ | עָ | סֳ | נוֹ | מֹ | לִ | כִּי |
| 추 | 푸-- | 오 | 쏘- | 노-- | 모-- | (을)리 | 키-- |
| גְּ | בֶּ | אֶ | תֵי | שֵׁ | שַׂ | רָ | קָ |
| 게(그) | 베- | 에- | 테-- | 셰-- | 사 | 롸- | 카-- |
| כֻּ | יוּ | טָ | חֳ | זוֹ | וֹ | הִ | דִּי |
| 쿠 | 유-- | 토 | 호- | 조-- | 보-- | 히 | 디-- |

| קְ | צֶ | פֱ | עֵי | סֵ | נַ | מֲ | לָ |
|---|---|---|---|---|---|---|---|
| 케(크) | 체- | 페- | 에-- | 쎄-- | 나 | 마- | (을)라-- |
| דֻ | גוּ | בָ | אֳ | תוֹ | שֹׁ | שִׁ | רִי |
| 두 | 구-- | 보 | 오- | 토-- | 쇼-- | 시 | 뤼-- |
| מְ | לֶ | כֱ | טֵי | חֵ | זַ | וֲ | הָ |
| 메(므) | (을)레- | 케- | 테-- | 헤-- | 자 | 바- | 하-- |
| שֻׁ | רוּ | קָ | צֳ | פוֹ | עֹ | סִ | נִי |
| 수 | 루-- | 코 | 초- | 포-- | 오-- | 씨 | 니-- |
| וְ | הֶ | דֱ | גֵי | בֵ | אַ | תֲ | שָׁ |
| 베(브) | 헤- | 데- | 게-- | 베-- | 아 | 타- | 샤-- |
| נֻ | מוּ | לָ | כֳ | יוֹ | תֹ | חִ | זִי |
| 누 | 무-- | (을)로 | 코- | 요-- | 토-- | 히 | 지-- |
| שְׁ | שֶׁ | רֱ | קֵי | צֵ | פַ | עֲ | סָ |
| 셰(슈) | 세- | 뤠- | 케-- | 체-- | 파 | 아- | 싸-- |
| זֻ | וּו | הָ | דֳ | גוֹ | בֹ | אִ | תִי |
| 주 | 부-- | 호 | 도- | 고-- | 보-- | 이 | 티-- |
| סְ | נֶ | מֱ | לֵי | כֵ | יַ | טֲ | חָ |
| 쎄(쓰) | 네- | 메- | (을)레-- | 케-- | 야 | 타- | 하-- |
| תֻ | שׁוּ | שָׂ | רֳ | קוֹ | צֹ | פִ | עִי |
| 투 | 슈-- | 사 | 로- | 코-- | 초-- | 피 | 이-- |

알파벳도 전체적으로 한 번 더 써보겠습니다. 알파벳 역시 입과 눈과 귀가 사랑의 연합을 이루어야 한다는 것, 그리고 오른쪽에서 왼쪽으로 써야 한다는 것을 꼭 기억하셔야 합니다.

| י | ט | ח | ז | ו | ה | ד | ג | ב | א |
|---|---|---|---|---|---|---|---|---|---|
| 요드 | 테트 | 헤트 | 자인 | 바브 | 헤 | 달렛 | 기믈 | 베트 | 알렙 |
| | ע | ס | ן | נ | ם | מ | ל | ך | כ |
| | 아인 | 싸멕 | 눈꼬리 | 눈 | 멤꼬리 | 멤 | 라메드 | 카프꼬리 | 카프 |
| | ת | שׁ | שׂ | ר | ק | ץ | צ | ף | פ |
| | 타브 | 쉰 | 신 | 레쉬 | 코프 | 차디꼬리 | 차디 | 페꼬리 | 페 |
| י | ט | ח | ז | ו | ה | ד | ג | ב | א |
| | ע | ס | ן | נ | ם | מ | ל | ך | כ |
| | ת | שׁ | שׂ | ר | ק | ץ | צ | ף | פ |
| | | | | | | | | | |
| | | | | | | | | | |
| | | | | | | | | | |

위 QR코드를 스마트폰으로 촬영하시면
히브리어 알파벳송 영상을 보실 수 있습니다.

다섯째날 과제를 잘 마무리했다면, 날짜를 적어 보세요.

과제완료일 : 20 년 월 일

וַיְכַל אֱלֹהִים בַּיּוֹם הַשְּׁבִיעִי מְלַאכְתּוֹ אֲשֶׁר עָשָׂה
וַיִּשְׁבֹּת בַּיּוֹם הַשְּׁבִיעִי מִכָּל־מְלַאכְתּוֹ אֲשֶׁר עָשָׂה׃

하나님의 지으시던 일이 일곱째 날이 이를 때에 마치니
그 지으시던 일이 다하므로 일곱째 날에 안식하시니라

창세기 2:2

## 히브리어 알파벳 표

| 형 태 | 이 름 | 꼬리형 | 형 태 | 이 름 | 꼬리형 |
|---|---|---|---|---|---|
| א | 알렙 | | מ | 멤 | ם |
| ב | 베트 | | נ | 눈 | ן |
| ג | 기믈 | | ס | 싸멕 | |
| ד | 달렛 | | ע | 아인 | |
| ה | 헤 | | פ | 페 | ף |
| ו | 바브 | | צ | 차디 | ץ |
| ז | 자인 | | ק | 코프 | |
| ח | 헤트 | | ר | 레쉬 | |
| ט | 테트 | | שׂ | 신 | |
| י | 요드 | | שׁ | 쉰 | |
| כ | 카프 | ך | ת | 타브 | |
| ל | 라메드 | | | | |

## 히브리어 알파벳송

3주차 교재로 이어집니다.

감사합니다.

Memo.

## 4주완성 왕초보 히브리어 성경읽기 시리즈 (총4권)

허동보 목사의 『왕초보 히브리어 펜습자』가 업그레이드 되었습니다.

누구든 한 달만에 히브리어 성경을 읽을 수 있도록 만들어 주는 "왕초보 히브리어 성경읽기 강좌"의 교재가 업그레이드 되었습니다. 부족하나마 지난 『왕초보 히브리어 펜습자』만으로도 많은 분들이 실제로 한 달 만에 히브리어 성경을 읽을 수 있었습니다. 그러나 이에 만족하지 않고 수강생들이 더욱 효과적으로 공부할 수 있도록 다양한 각도에서 연구하고 더 많은 내용을 보강하여 **『4주완성 왕초보 히브리어 성경 읽기』** 시리즈를 출간하였습니다.

### 저자 허 동 보 목사

왕초보 원어성경 홈페이지
https://wcb.modoo.at

- 現 대한예수교장로회 수현교회 담임목사
- 現 "왕초보 히브리어 성경읽기" 강사
- 現 수현북스 대표
- 저서 『왕초보 히브리어 펜습자』
  『왕초보 헬라어 펜습자』
  『4주완성 왕초보 히브리어 성경읽기』 시리즈

이학재 저

כתב Project 원어성경쓰기

# 케타브 프로젝트 쓰기성경 시리즈

히브리어와 헬라어로 성경을 필사해 보세요.

룻기 잠언 에스더 다니엘 일곱권의 소선지서
(요나,요엘,학개,말라기,
오바댜,하박국,스바냐)

시편 1 시편 2 시편 3 시편 4 시편 5

갈라디아서 에베소서 빌립보서 골로새서 요한서신들(요한 일,이,삼서)과
유다서